덤으로 사는 인생

그리운 마음, 감사한 마음, 행복한 마음

덤으로 사는 인생

발　행 | 2024년 08월 15일
저　자 | 신숙재
펴낸이 | 한건희
펴낸곳 | 주식회사 부크크
출판사등록 | 2014.07.15.(제2014-16호)
주　소 | 서울특별시 금천구 가산디지털1로 119 SK트윈타워 A동 305호
전　화 | 1670-8316
이메일 | info@bookk.co.kr

ISBN | 979-11-410-9680-9

www.bookk.co.kr
ⓒ 신숙재 2024

덤으로 사는 인생

그리운 마음, 감사한 마음, 행복한 마음

신숙재 지음

차례

시인의 말

50대 초반 내 인생은 이미 막을 내릴 뻔했습니다.
그 고비를 넘기고 지금은 덤으로 삶을 살고 있습니다.
덤으로 생긴 소중한 삶을 매사에 한껏 웃으며 즐기자는
마음으로 살고 있습니다.

여든 살을 바라보는 지금 덤으로 살고 있는 생활 속에서
느끼고 있는 그리운 마음과 감사한 마음, 그리고 행복한
마음을 책 속에 담았습니다.

제1부 그리운 마음

그리운 당신

이른 새벽
잠이 깨서
책 정리를 하다가

혜정 임도순 작품 속에서
절묘한 표현을
한 구절을 읽게 됐다.

남자 혼자
사는 세상은 적막강산
여자 혼자
사는 세상은 금수강산

당신은 저를
만고강산으로 만들려고 하오?

마지막 순간까지
고통 없이 지내시기를 바랄 뿐이요.

당신은
천일에 가깝도록
밤마다 연기를 마셔가면서

쑥뜸으로
저를 살려놓았건만
난 어떻게 하면 좋소.

병원 침대 위에 누워
눈만 멀뚱멀뚱한
당신 모습을

바라볼 수밖에 없는 이 현실을

증조할아버지 시집 '석암집'

지난밤
석암집을
늦게까지 읽었다.

나에겐
증조할아버지신데
정말 훌륭하신 분이다.

지금은
버든 동네가
다 없어졌지만

버든에서
출발해서 한양까지
과거시험 보러 가셨다는데

짚신을 신고
등 뒤에 짚신을 짊어지고 가는
TV에 나오는 장면을 떠올려본다.

하지만
석암집 시 속에선
나막신이 자주 등장한다.

나 어릴 적에
우리 집에 있던 나막신
뒷굽은 높고 앞은 코고무신처럼 생긴
나무로 만든 나막신

나 어릴 적에
가끔 신어 보기도 했었는데
몇 발자국 가기도 어려웠는데
할아버지는 어떻게 한양까지 가셨을까?

아버지

여고시절 아버지한테 배운 글이다.

食 上 식모
朋 出 주인
可 笑 머슴
인양복일 하오리까.

월월 산산하거든
정구죽천이로다

어느 구두쇠 집에 손님이 왔는데
식모가 밥상 올릴까요 하니까
주인, "벗이 가거든"
마당 쓸던 머슴 "가소롭다" 했다.

고모

용찬이가
전화가 와서

서울 사시는
107세 고모님이
별세하셨다고 한다.

송자언니가
지금까지 모시고 사느라
많이 힘들었겠다 싶었다.

진티골 장지로 향했다.

몇 십 년 만에 만난
친척들의 모습을 대하니
반가운 마음이 앞선다.

그리운 작은 오빠

나 어릴 적
조그마한 농촌 버든마을

세 살 위인 작은 오빠
나는 졸졸 따라 다녔지.

동네 앞 언 논바닥에
스케이트를 타는 작은 오빠

논두렁에 쭈그리고 앉아
떨고 있는 나를 본 작은 오빠
"안되겠다. 집에 가자."

이불 속에서
나를 꼬옥 껴안고서
"조금만 있으면 괜찮아. 조금만 있으면 괜찮아."
그리운 나의 작은 오빠

그리움

"알라~야, 알라~야, 내가 딸을 둘 키운다."

"당신은 너무 순진해. 어디서부터 손을 봐야할지"

그러던 당신은
왜 완전 애기가 되었소.

가고파도 보고파도
아무것도 할 수 없는 이 현실은

내가 할 수 있는 단 한 가지
흐르는 눈물 닦는 일 외에는 아무것도

다 너 때문이야, 코로나!

코로나 물러가면 찾아갈게요.

자재요양병원

모처럼
가족이 다 모여서
자재요양병원에 들렀다.

코로나 때문에
병실 밖에서
창문을 사이에 두고
바라볼 뿐이다.

손주들은
할아버지라고 외치고
난리법석인데

아무리 애써 참아도
난 울 수밖에 없었다.

유나 올케

유나 올케와
함께 걷는 운동을
한 시간 동안 하고 왔다.

삭힌 콩잎을 줘서
맛있게 잘 먹고 있다.

올케가 가까이
살고 있어서 너무 좋다.

보고 싶은 숙아! 난아!

기왕지사 자매의 연을
맺은 인연이라면

오래 오래
내 옆에 있어주지
뭐이 그리 바쁘더냐.

젊은 시절
도로확장으로
집 세 채 다 뜯기고
막막할 때

길잡이가 되어준 내 동생 숙아

십리대숲으로
언니랑 올케랑 불러다가
산책도 하고

맛집에 데려다가
식사도 하고

다음번에 내가 살게.
약속했건만

뭐이 그리 급하더냐.
하늘나라로

추억거리도 수없이
많고 많은데

눈물이 앞을 가리는구나.

그만 안녕.
언니가

준아, 고마워

아침에 눈만 뜨면
카톡 카톡 날아온다.
동갑내기 사촌동생 준아, 고마워

어릴 적 앞집 뒷집으로
낮은 담하나 사이에 두고

하루에도 수십 번씩
넘어갔다 넘어왔던 추억

준아, 고마워
내가 좋아하는
코스모스 한 아름 보내줘서

여동생

이모가
소고기, 생선, 배를
무겁도록 들고 왔다.

봉건이 엄마랑
멋진 대숲이 있는 곳에
갔다 왔단다.

나도
한번 가봤으면 아쉽네.

그래도 이모랑
걷는 운동 많이 하고 왔다.

며느리

세상에 하나 뿐인
금쪽같은 내 며느리

아이 셋 키우기도
쉬운 일이 아닐진대

며칠가면 맛난 반찬
바리바리 챙겨 보내준다.

무리는 하지마라
몸 상하면 큰일이다.

정아 생일

정아 생일이다.

영덕 대게를
사 와서
대게 파티를 열었다.

어버이날
행사를 겸해서
다 모였는데

눈물이
나려고 해서

애써 참았다.

아들

오랜만에
아들 상화와
많은 대화를 나누었다.

오늘은 어째 시간이 좀 있었나봐.
회사 차리고 최고 높은 실적을 올렸다니.
매우 기쁘다.

이제 코로나가
어느 정도 누그러졌으니

친구도 만나고
집에 친구들 오시라고 해서
놀라고 했다.

"공진단 두 통 사 올까요?" 하는 걸
그만두라고 했다.

"그럼 전복 사올까요? 장만해서 올까요?"

아니 내가 장만할 수 있어. 그냥 갖고 와.

이런 효자 아들이 어디 또 있을까?
너무 너무 고맙고 미안하다.

"몸은요?"
한쪽 두피가 이상해서
내일 병원 가 봐야겠다고 했다.

아,
회사 직원들에게도 추석보너스 외에
현금으로 100만원씩 나눠줬다고 했다.

이 불경기에
참 좋은 일이다.

재승아

나의 사랑하는 보물
재승아

재승이가 좋아하는
식혜 만들었다.

내일 아빠 편으로
보내줄게.

이놈의 코로나
언제 물러갈지

만나는 그날까지
건강하게 잘 있어.

정옥이

정옥이한테서
밀감 한 박스가 왔다.

이렇게
어수선한 시기에는
안 해도 되는데

시가부모 친정부모
돌보느라 힘들 텐데

어찌 이모까지
꼬박 꼬박 잘 챙기는지

고맙고 대단하다.

조카 재희

재희한테서
전화가 왔다.

엄마 산소 왔다가
이모 생각이 나서 했단다.

반갑고
눈물도 나고
고맙기도 하다.

모자세대 모임

모자세대 모임을
청수골가든에서 하고 오는 길에

한옥 찻집에 들러서
오랫동안 담소를 나누면서 놀다 왔다.

발아래 쪽엔 저수지가
내려다보이고 한옥은 어마어마했다.

그 동네엔
한옥만 지어야 한다네.

알고 보니
구시골 동네 황대동댁 손녀딸이라고 하네.

소꿉친구 노야

송림 식당에서
모였다.

강노형님이
우리 집에 와서
놀다 가셨다.

내 소꿉친구 노야는
몸이 안 좋아서
참석도 못하고
얼굴도 볼 수 없어 안타깝다.

다짐

거실 소파에 누워서도 바라볼 수 있는
10월의 청명한 가을하늘
너무 아름다워

조금 있다가 솔가지공원에 가봐야겠네.

거실 소파에 누워서도 바라볼 수 있는
10월의 청명한 가을하늘
기운을 받아

이제는 울지 말자 다짐해 본다.
울면 내 몸 상하고 자식들 애먹이고

이래선 안 되겠다.

쑥 뜯으러 간 날

이모랑
봉건이 엄마랑 쑥 뜯으러 갔다.

산길을
걷는 것도 너무 좋다.

고귀한
네잎클로버 여럿 잎 따서 왔다.

네잎클로버
찾느라 애를 썼다.

깨끗이 씻어서
책갈피 속에 넣어둔다.

친구들에게 한 개씩 선물해야지.

코 로 나

코로나! 집콕!

이런 말은
칠십 평생에
처음 들어보는 말이다.

코로나여 코로나여
하루속히 물러가소
오만 사람 다 만나는
아들걱정 심히 되오

보고파도 볼 수 없는
우리 보물들
명절은 닥치건만 어쩌면 좋을 소냐.

아들 친구

상화 친구 둘이
집에 찾아왔다.

너무 오랜만이라서
전혀 알아볼 수가 없었다.

홍삼 한 박스
들고 와서 던져놓고는

서로 끌어안고
반가워서 옛날이야기 하느라고

먹을 것 하나
대접할 생각도 못한 채
많은 시간을 재밌게 보냈다.

포기

오늘
친목 곗날인데
나는 참석하기를
포기했다.

이놈의 코로나
언제쯤 물러나서
마음 놓고 어디
다닐 수 있을는지 모르겠네.

안타깝다.

식혜

재승이가
많이 좋아하는

할머니표
식혜를 만들었다.

식으면
내일 보내야지

왜 이 모양이지

핸드폰 기능을
제대로 사용할 수 없어서
답답하다.

국민학교 3학년 때
하나도 안 배운 과목을
시험 친 적 있는데

유일하게 서울대 간
강이주가 1등 했고
내가 2등 했다.

이주는 지금도
머리가 반짝반짝 하던데
난 왜 이 모양이지

선문사 스님

선문사에 다녀왔다.
스님 엄마도 와 계셨다.

예불 도중에
흐느껴 우는 모습을 보았다.

이해가 된다.
공부도 한껏 시켜놨더니

스님이 된다고 했을 때
그 마음이 어떠했을지 이해가 된다.

공원

앞 공원에 매일
노인네들이 모여서 논다.

식혜 한 병을
들고 가서 부어 드렸다.

구시골 아지매와
진수엄마도 함께 있었다.

구시골 황대동댁 딸 이야기로
얼마나 웃었는지 모른다.

여고시절 국어수업

아침마당에
김형석 교수님이
나오셨다.

우리 고등학교
1학년 국어책에
수필에 관한 제목이 있었는데

선생님께서
수필 읽어 본 사람 손들어 보라고 해서
손을 들었더니
내일 책 갖고 오라하셨다.

김형석교수님 작품이
베스트셀러였는데
선생님이
깜짝 놀라셨다.

책 중에 가장
재미있는 제목이
무어냐고 하시길래

P형 이야기라고 했더니

낭랑한 음성으로
글을 잘 읽는
박수고에게
일어나서 읽으라고 하셨다.

TV 보다가 여고시절 떠올라
수고랑
오랜만에
통화도 했다.

고구마줄기

구시골 아지매한테
고구마줄기를 얻어왔다.

껍질 까는 것도
장난이 아니다.

아지매는 어떻게 일을
그렇게 잘하는지

내 여고시절에 아지매는
앞산 너머 구시골에 시집와서
살았기에

아주 어른인 줄 알았는데
4살 위 일 줄이야

용이 별장

그늘이 넓은 나무 밑에는
새들이 모이고
마음이 넓은 사람 곁에는
친구들이 모인다.

옹티 골짜기 용이 별장에
경자랑 함께 놀러가자고
전화 왔는데
당분간 사양이다.

거긴 아주 아주 공기 좋은
산골짜기인데
자식들 마음 쓰일까봐서

코로나 빠이빠이 하면 가야지.

참새의 거리두기

아침에 일어나서
베란다에 나가보니

아래층 화단
동백나무 숲 그늘에
참새 몇 마리가 앉아있다.

두 마리는
나란히 붙어
쪽쪽거리고 앉아있고

남은 두 마리는
뚝뚝 떨어져 앉아있다.

너희 두 마리는 정이 없어 그러느냐?
거리두기 하는 거냐?

토 요 일 낮

낮에
재희가 전화가 왔다.

토요일엔
병원 문을 닫는가 보다.

눈물이 나서
겨우 진정시켰다.

한참동안
옛날이야기도 들려주었다.

'숙아, 난아' 글 쓴 것도 읽어주었다.

산사로 가는 길

조석으로 산사를 오르내리며
괴로움도 슬픔도
삼켜야했다.

아침이슬 머금은 땅에 누운 단풍잎은
그지없이
아름답고

석양이 반짝일 때 매달린 단풍잎도
한없이
아름다워

매일 통도사 다닐 때 잠시나마
내 마음을
위로해 주었지.

읍성 코스모스

코스모스가
흐드러지게 핀
들녘을 걷고 싶다.

주위엔
그런 곳이
없을 듯싶다.

아, 맞아
읍성 가운데 길 옆에
몇 포기 있는 것 같더라.

솔가지 공원

솔가지 공원에는 나에게
적당한 운동기구가
두 가지 있다.

가까운 곳에 공원이 있어서
참으로 다행스러운
일이다.

코로나 때문에 복지관에
운동하러 못가는
처지에

공원에 비잉 둘러 서 있는
나무그늘도
좋다.

땅바닥에 나뭇잎이
떨어진걸 보니
활엽수인가

아침에 일어나면 내 눈을
즐겁게 해주는
나무들인데

겨울이 오면 어떻게 될지

덕 계 보 살

날 바라보던
저 달도

길기에 하늘거리는
코스모스도

내게는 아무런 위안이
되지 않았습니다.

길 잃어 갈팡질팡
해매일 때

길잡이가 되어주신
덕계 보살님

당신은 진정한
보살이어라.

이 은혜를 어떻게 갚을 수
있으리오.

마음만은 평생 잊지
아니하리다.

보살님 오래 오래
건강하세요.

안녕
수진행 올림

우리 집 베란다

뭉게구름 춤을 추는
청명한 가을하늘

해 뜨는 동산부터
진장 만디, 영축산, 신불산

고개만 돌리면
다 보이는
우리 집 베란다

신불산 꼭대기에
걸터앉은 뭉게구름

구름아 넌 좋겠다.
코로나 없는 세상

경진계 마지막 날

오늘로 계중을 끝낸단다.

두 달에 한 번씩
얼굴이라도 볼 땐
좋았는데

마음이 허전하고 섭섭하다.

오는 길에
꽃집을 지나오다가

노오란 국화꽃
한 포기씩 심어져 있는

조그만 화분
두 개를 사 왔다.

미장원

미장원에서
커트와 염색을 하고 났더니
완전 딴 사람이 됐다.

몇 달 동안
그냥 있었더니
몰골이 말이 아니었다.

우울하던 기분도
한결 전환 된 것 같다.

며느리 반찬

며느리
해 온 반찬으로

냉장고가
그득해졌다.

나경이 오케스트라 연주회

얼굴도 예쁘고 자세도 바른
우리 나경이 최고다.

울주문화예술회관 대공연장
공연을 마치고 나온 나경이
꼬옥 안아주고선

5만원 두 장을 쥐어줬더니
한 장만 하고는
기어이 한 장은 내주머니에
도로 넣어준다.

언제 벌써 이렇게 성숙하다니

동갑친구

3일째
복선 집에 다 모였다.

우울한 마음
순간순간 울컥거리는 마음

다 사라지고
너무 고마운 일이다.

독감 예방접종

TV에선
독감예방접종
부작용 사망자가
자꾸 늘어가고 있다.

어제 밤 9시경
아범한테서 전화가 왔다.

몸은 괜찮으냐고
약간 취한 음성으로
오늘하루 여러 번 했다.

내가
또 걱정을
시키는가 보다.

코로나가
속을 썩이더니
독감 예방이 또 난리냐

속 시끄럽다.
제발 무사하길 바란다.

그래도 걷기운동을 하고 왔다.

정아랑 잠깐 통화도 했다.

도 토 리 묵

이모가
도토리묵
자그마한 덩어리를
갖고 왔다.

올해는 정말이지
도토리묵이
귀한 음식인데.

마, 지나 먹지.

제2부 감사한 마음

구시골 아지매

고기선 구시골 아지매,
가까운 이웃마을에서 살았던
정의도 인정도 남다른 아지매다.

껍질 벗긴 고구마 줄기,
삶은 고구마, 어린 가을 무 추린 것,
아주 보드라운 미나리를 조금 얻어왔다.
꼭 친정 왔다가는 느낌이다.

고구마줄기 삶아서
초장에 무쳐 먹으니 너무 맛이 좋다.

아지매가 자주 놀러오라고 한다.
또 놀러가야지.

상강(霜降)

해가 많이 짧아졌다.

재선형님 집에 들러서
보드라운 호박잎
한 봉지 따서 왔다.

어제가 상강인데
아직은
서리가 오지 않았다.

아차하면
모두 다
버릴 수도 있었다.

오늘 마침 잘 갔다.

말분 아파트 앞마루

솔가지 공원에 운동 조금하고
읍성 미나리꽝 한 바퀴 돌고 왔다.

말분 아파트 앞마루에
여럿이 모여 있었다.

얼른 집에 와서
포도 한 송이 씻어서 들고 갔다.
시외육촌 형님도 계셨다.
마침 잘 됐다.

폰에 카톡이 많이 와서
올케한테 지워 달라 부탁했다.

가까이 올케가 있어서 너무 좋다.

상북 분식집 호박죽

오전에 시장에 나가
상북 분식집
호박죽을 사 왔다.

맛이 좋았다.

점심에도 호박죽을 먹었다.

다 팔리기 전에
이제 며느리에게 보낼
호박죽 사러 가야지

포 도

딩동!

현관문
열었더니

이모가
포도 한 박스
스윽 들이밀고는

줄행랑을 쳤다.

이웃

김복선 예삐친구와
고기선 구시골아지매가
바로 이웃에 살고 있다.

고구마도 삶아오고
잡곡밥, 김장김치, 물김치
무겁도록 들고 와서 맛있게 먹고

놀다 올 때는
생고구마도 한 봉지 들려주었다.

꼭 친정 온 느낌이다.
나는 뭘 보답해야할꼬

수발드느라 친구도 수고 많았다.

두피에 좋은 약

유나 올케가
와서

두피와 머리카락에
좋은

레몬과 다시마를
넣은

약을 만들어 주고
갔다.

유나 올케 칠순

유나 올케가
"저녁 식사하러 오리고기집에 갑시다."

아무것도 모르고
갔더니 칠순이란다.

나이가 아직
어린 줄 알았더니
벌써 칠순이었구나.

그것도 모르고
내가 먼저 식대를
지불할 양으로 돈을 준비해 갔더니

다음으로 미루어야지

을유생 모임

교동 친구 집에서
돼지 삼겹살을 먹었다.

영천 친구가
오랜만에 참석했다.

그 멀리서
양손에 가득 들고 왔다.

쑥떡이랑 머위, 엄나무 잎.

정말 대단하다.

귀한 내 보물들

나경이
예준이
재승이가 와서

즐거운
시간을 보냈다.

나에겐
귀하디 귀한
보물들이다.

동네 아우

동네 아우에게
네잎클로버 한 송이와
불경 책 한 권을
선물했더니

요플레와 비피더스를
무겁도록
한 봉투 현관 앞에
갖다 놓고 갔다.

이렇게 안 해도 되는데

덤으로 사는 인생

50대 초반
이미 막을
내릴 뻔한 내 인생

지금 나는
덤으로 사는 인생

한껏 즐기며 웃으며 살자

덤으로 사는 인생

보 물 셋

며느리가
보물 셋을 데리고
여러 가지 반찬을
해서 왔다.

통닭
먹고 싶다고 해서
주문해 줬다.

정말
잘 먹는다.

보기 좋다.

큰올케 병문안

큰올케가
넘어져 다쳤다고 해서

딸기 사들고
병문안 갔다 왔다.

조카 구해 내외가 와 있었다.

나이 들면 다치는 것
진짜 조심해야 된다.

2시 되면
걷는 운동 나가야지
말분이랑 함께

새 해 전 화

새해 첫날이라
며느리가 일찍
전화를 해 왔고

두 번째
유나 올케
전화가 왔고

세 번째
정아한테
전화가 왔다.

카톡은 날만 새면
여러 군데서
매일같이 날아온다.
고맙다.

중학교 동기
신을선이와
통화를 오래 했다.

노야 친구
전화 왔는데
음성이 많이
안 좋아보여서

무슨 말을 해야
위로가 될지
막막한 느낌이다.

주먹만 한 호빵

오전에 며느리가
와서

주먹만 한 호빵인가를
네 개 사 주고

집 앞까지 데려다주고
바로 갔다.

말복이의 쑥 한 봉지

말복이가
산에서 뜯은
쑥을 한 봉지 갖고 왔다.

점심시간
쉬지도 못하고
쑥을 뜯어
언양까지 갖고 오니

고맙고도 미안하다.

하루속히
몸과 마음이
편안해졌으면

고마운 일행

유나올케, 임선씨, 부옥씨, 나
넷이서
화장산으로 갔다.

오영수 묘 가까이
김취려장군 묘에까지
둘러보고

거의 정상 가까이까지
둘러왔다.

혼자서는
엄두도 못 낼 곳을
걸으니

일행이
너무 고마웠다.

다음에 정상까지
가보자고 했다.

내려오다 빵집에 들러
빵 먹고
쉬었다 왔다.

고부

민희와 함께
초락당 다녀왔다.

원장님이
따님이냐고 한다.

우리 둘을
처음 본 사람 중에
고부간 인 줄 아는 사람은

한 사람도 없었다.

기 분 좋 은 날

몇 달 만에
머리 커트와 염색을 했다.

김복선 예쁜 친구와
차밍미용실에 갔는데

너무 마음이
흡족하고 기분이 좋았다.

그리고 나의 보물
1호 2호 3호가
함께 와서

하룻밤 자고
너무 너무 재미난 시간을 보냈다.

창살 없는 감옥

띠리 띠리 문자가 뜬다.
'언양 콩나물국밥집 코로나 확진자 다녀갔음'

곧 바로 온 아들의 전화
"어딩교?"
"지금 하나로 마트 앞이다."
"앞으로 필요한 거 있으면 전화 하이소."

그 뒤로 완전 창살 없는 감옥살이 될 줄이야.

며칠 뒤 아들에게 물었다.
"박내과 혈압약 타러 가야하는데 우짤꼬?"

아들이 박내과에 갔다.

처음 가 본 박 내과에 차고가 없어
다시 차를 돌려 우리 집 마당에
차 세워 두고 다시 갔다.

현관문 벨소리
'딩동, 딩동'

하필이면
비마저 주룩주룩 내리고
한 손에는 우산 들고
한손에는 흰 약봉지 들고 온 아들

아들아 고마워
코로나 미워

갑용 엄마

재승이 좋아하는 식혜 만들었다.
오전 중으로 다 끝내고
오후엔 걷는 운동 가야지

피로해서 잠시 누웠다가
벌떡 일어나
팀들 놓칠까봐 급히 나갔다.

오늘은 노장 팀들과 만났다.
많이 걷지는 못했는데
갑용 엄마가
막걸리와 안주를 갖고 왔다.

난 술을 마실 줄 모르는데
막걸리에 사이다를 섞었다나.

맛이 좋았다.

급히 나가느라
목도리 두꺼운 것도 안 두르고 나갔는데
날씨가 추웠다.

갑용 엄마가 목도리를
벗어주었다.

추위를 막을 수 있어서
고마웠다.

우리 며느리 최고

자재요양병원에서
병문안 다녀가라는 연락이
왔단다.

엊그제 만들었던
식혜 두 병이 있어서
다행이었다.

며느리랑 같이 가서
뒤안간 창문에 붙어 서서
겨우 얼굴 보고 왔다.

전 보다 많이 야위었다.
아프지 말고 둘이 같이
좀 더 살았으면 얼마나 좋을까

담당의사 선생님이
딸이냐고 물으신다.

아니요. 며느리예요.

며칠 전에 핸드폰에
요양병원 선생님이
올린 글 내용이 생각났다.

며느리인지 딸인지
딱 보면 대번에
알 수 있다고 하던데

우리는 그렇지가 않은 게
정말 고맙고 다행스런 일이다.

우리 며느리 최고!

친구 복선이

친구
복선이집에서

하하 호호
웃으며

재미있게
놀았다.

희망사

아들이 와서 날 태우고
희망사로 향했다.

너무 너무 기분이 좋았다.

스님을 너무 오랜만에 뵈니
눈물이 나려고 해서
겨우 참았다.

이전 같으면 법당이 빼곡히 차서
들어가기도 힘들 텐데

서너 명만 아침 예불을
올리고 있었다.

코 로 나 법

3인방과 함께
못안 못까지
둘러 와서
올케가 빵집에
데려갔다.

딱 네 명이라서 좋다.
코로나 법에
저촉되지 않고
너무 좋다.

천천히 걷는 팀

천천히 걷는 팀들과
어울려
이야기도 하며
걸으니
재미도 있고 좋다.

운동은 조금 약해도
재밌다.

간식들을 갖고 와서
잘 먹었다.

내 가방은 크기가 작지만
그래도 다음에는
나도 좀 갖고 가야지.

내 생일

내일이 내 생일인데
일요일인 오늘
생일파티를 했다.

며느리가
준비를 다 해 와서
생일파티 잘하고
재미있게 놀다 갔다.

나경이가 용돈으로
화분도 사고
퍼즐도 사 왔는데
퍼즐은 규격이 너무 작아서
잘 못하겠다.

쉼

오후에 이모랑 산책을 나갔다.
못안 못까지 한 바퀴 둘러 왔다.

20여 일 동안 집에만 있다가
처음 걸으러 갔더니 많이 힘들었다.

오다가 이모 집에 들러서
벌렁 드러누웠다.

한참을 드러누워 쉬었더니
충전이 되었다.

이모가 옆에 있어 주어서
많은 힘이 된다.

청도 나들이

이모 동료한테서 전화가 왔다.
빨리 내려오라고

동료 두 명과 이모랑 나, 넷이서

청도 연꽃이 유명한 곳에 들러서
구경도 잘하고

연잎 밥집에 들러서
식사도 하고

오는 길에 해월당에 들러서
빵도 먹고

재미있는 하루를 보냈다.

찰밥과 떡국

떡 몇 개 들고
복선예쁜집에 가서
구시골 아지매랑 모여서 놀았다.

하루 종일 재밌게 잘 놀았다.

구시골 아지매가
찰밥을 아주 맛있게 지어 와서
점심으로 맛있게 먹었다.

복선친구가
떡국을 맛있게 끓여서
저녁까지 맛있게 잘 먹었다.

하루 종일 재밌게 잘 놀았다.

잔소리

아침 일찍 유나올케가
호박죽 한 그릇과
배추 물김치 한 쪽을
들고 왔다.

조금 있으니 딸과 사위가 왔다.
내년 농사는 어떻게 지을 참인지 걱정이다.

물도 한 모금
안 마시고 서둘러 나가서

영화루에도 올라가 보고
옥샘도 구경하고
읍성 한 바퀴 돌고 갔다.

코로나만 아니면
식사도 하고 천천히 가도 될 텐데

몸조심하라는
잔소리 귀가 따갑도록 하고는

물도 한 모금
안 마시고 가버렸다.

마스크도 갖고 왔다.
저번 한 박스 보내온 것도 많은데

이놈의 코로나는 언제 없어질지

43동기회 모임

네 달 만에
일송정 산장에 가서
점심 저녁까지 먹고 왔다.

부산에 사는
이정희, 오귀주, 김광수, 신재식

네 명이 와서
더욱 재미있게
즐겁게 놀고 왔다.

제3부 행복한 마음

매우 기분 좋은 날

10월 25일 일요일
매우 기분 좋은 날이다.

보물들 데리고
며느리가 왔다.

조금 있으니
아들도 왔다.

모처럼 야외로
바람 쐬러 간단다.

반구대 암각화
천전리 각석

산길을 산책하니
너무 너무 좋았다.

아직
단풍은 안 들어도

기분은
말도 못하게
너무 너무 좋았다.

한 달쯤 후에
다시 오기로 약속했다.

이웃친구

며칠 동안
집안에만 있었더니
숨 막힐 지경이었는데

유나올케 전화가 왔다.
기분이 좋아 입이 벌어졌다.

말분이와 이웃친구들과
밥 먹으러 가잔다.

식당 찾아
산을 한 바퀴 도는데

속이 뻥
둘리는 기분이었다.

친목계 모임

친목계 모임을
몇 달 만에 참석했다.

강노형님, 재선형님
우리 집에 와서
재밌게 얘기 나누며
놀다 가셨다.

재선형님도
계원이 되기로 약속하셨다.

기분이 좋다.

아름다운 나의 황혼

서부노인 복지관이
코로나로 수업을 못했다.

한 학기 수업료 반납한대서
운동도 할 겸 걸어서 갔다 왔다.

상북 분식집에 들러
칼국수도 한 그릇 먹고 왔다.

늘어지게
한숨 자고 나서 폰을 열어보았다.

아모레 친구가 보낸
'황혼의 자유'란 시가 흘러나온다.

단풍잎

솔가지 공원에
들렀더니

단풍잎이
많이 누워들 있다.

자주색, 노란색
각자 나름대로다.

그 중 흠 없고 예쁜 것
몇 잎 주워왔다.

깨끗이 씻어서
책갈피 속에 넣어뒀다.

운문사 드라이브

모자세대 모임이다.

청수골 가든에 가서
식사도 하고

운문사까지
드라이브도 했다.

단풍이
너무 고왔다.

휴식

집안 청소도 하고
정리도 하고

쉬었다.

눈에
핏발이 섰다.

하루 종일 집콕

하루 종일
집콕 하면서
쌀에 검은 점 박힌 것
찾아내는 작업을 했다.

코로나 없는
세상에 살았으면
너무 좋겠다.

박천종 제부와
한참동안 통화하고
시간 보냈다.

진짜사랑 가짜사랑

TV에서 그러네.

사랑에는
진짜사랑, 가짜사랑이 있다네.

웃음이 나온다.

거울속의 내 얼굴

아침마당에
내가 좋아하는
고정우 가수가 나와서
기분이 좋다.

어제 거울 속에 비친
내 얼굴은
칙칙한
모습이었는데

오늘 아침 거울 속의
내 얼굴은
밝은
얼굴이다.

일흔여섯의 소녀

어릴 적
버든 동네 동생
시인 이득수가

아침마다
카톡으로
시를 보내오는데

그가 지은 '일흔한 살의 동화' 속에서
'일흔여섯의 소녀'라는
주인공으로
내가 등장했다.

낮에 나온 반달

어제 삶아 놓은
무시래기 껍질도 까고
아주 보드랍게 다듬는
작업을 했다.

어제 낮에는
반달이 보였었는데

오늘 날씨는 흐리다.
곧 비가 내릴 것만 같다.

아들이 와서
오후엔 초락당 갔다 왔다.

아차!

못안못 있는 데까지
걸어서 갔다 왔다.

못 전체가 꽁꽁 얼어서
보기 힘든 구경
잘하고 왔다.

김장식 댁도
동행했다.

아차!
달걀 명단
제외될 뻔 했다.

백색 천지

아침에 일어나서
밖을 내다보니
세상이 온통
백색천지다.

밤새 눈이
많이 내렸나봐.

이 지역은
눈 구경하기
정말 어려운 곳인데

소녀 적 감성이
되살아난 느낌인데

그도 잠시
아들 출근길 생각하면
걱정도 된다.

문득 시 구절이 생각난다.
'삭풍은 나무 끝에 불고 명월은 눈 속에 차다'

초가집이 없는 요즘
참새들은
이 추위에 어디서 자는지
궁금하네.

운동

오늘도
못안못 저수지를
한 바퀴 돌고 왔다.

바람은
좀 불어도
날씨가 따뜻해서 좋다.

오늘도 운동 잘 했다.

올케 없이 운동하기

오늘은
올케도 없고

읍성이나
가보자는 마음으로
나가봤더니

임선씨를 만나서
같이 함께
잘 돌고 왔다.

유서 깊은 오래된 못

올케랑
못안못 저수지로 갔다.

팻말이 있는데
이조시대
예종(이씨조선 8대 임금)
시절에 만든 못이라니

유서 깊고 오래된 못이구나.

옷을 두툼하게 입고
나가서 춥진 않은데

바람이 많이 불어서
눈귀가 춥다.

사돈이 짜 준
기다란 목도리를

얼굴 머리 전체를
돌돌 말아서

눈만 놔두고
싸매 주었다.

비타민 D

표고버섯 손질해서
햇볕에 널어놓았다.

직사광선을 받아야
비타민 D가
많이 생성된다.

내일모레면 당신 생일인데
가 볼 수도 없고
눈물이 난다.

카스테라 쿠기 두 박스
요양병원으로 보내기로 했다고
정아 연락이 왔다.

까마귀 떼

오늘은
읍성 몇 바퀴
걷고 왔다.

어제
까마귀 떼들이
하늘을
뒤덮었더니

오늘은
다 어디 갔는지
보이지 않네.

통화

자재요양병원
간호사와
통화하다가

그만 눈물이
쏟아졌다.

마음을 다잡고
했는데도
소용이 없었다.

보일러 교체

보일러 기사님이 오셨다.
보일러를 새것으로 교체했다.

서류도 아주 복잡하고
서명 사인을 여러 장하고
많이 힘들었다.

뒷정리로 할 일이 많다.

몸은 피곤하고
며칠 동안 정리를 해야 되겠다.

시도 때도 없이 눈물샘은
가만있지 않고 작동을 한다.

추적추적 내리는 비

오늘은
추적추적
하루 종일 비가 내린다.

'등불은 방 가운데 달이요
달은 하늘아래의 등불이로다.'

치매예방 문제풀기

계순이가 보내 온
10문제 중에서
7문제 이상 맞추면
100세까지
치매는 안 걸린다는데

7문제는 바로 맞추었고
곰곰이 들여다보니까
2문제 더 맞추었는데

한 문제는
아무리 들여다봐도
확답이 나오지 않는다.

ㅂㅇㄴ곳 ㅇㄷㄲ가 ㅅㅅㅇ다

올케 팀

오늘은
직동을 거쳐
고동골까지
한 바퀴
걷고 왔다.

올케 팀들과
같이 갔더니
운동을 많이
잘 했다.

전기밥솥

전기밥솥이
기능이 다 끝났다.

삼성전자에 들러
大小 한 개씩 주문했다.

小형 밥솥은
너무 작아서
가족들 모일 때는
밥하기가 신경 쓰였는데

이젠 아주 멋지다.

밥솥 큰 것 얼마였냐고 묻는데
나는 가격을 모른다고 했다.

아들 전화

입춘인데 날씨가
왜 이리도 추운지

그래도 못안못까지
걷고 왔다.

오늘도 3인방
올케, 부옥, 임선 따라
갈 수 있었다.

못가를 걷고 있는데
아들한테서
전화가 왔다.

아들! 음성만 들어도
기분이 업 된다.

화장산 정상

서계열이랑 만나서
화장산 정상까지 갔다 왔다.

예전에 날마다
화장산 넘어 법계선원 갔다가
기도하고 날이 새면
집으로 넘어오고 했는데

지금은 나무도 무성해졌고 낯설었다.

조금은 무리인 것 같기도 했다.

유나올케가
맛있는 빵이랑 과자를 사와서
기다리고 있었다.

운 동 끝

오늘은
장날이다.

시장 두 번
갔다 오고 나니

오늘 운동은 끝났다.

식혜

일찍 일어나
재승이가 좋아하는
식혜를 앉혔다.

새로 사온 밥솥에 처음이라
힘이 좀 들었다.

오늘은 컨디션이 좋지 않다.
그 동안 신경 안 쓰고
잘 지내왔는데

어쨌든
감기 안 걸리고
잘 넘겨야 한다.

자매 같은 사돈

집 청소 깨끗이 해 놓고
보물들이 오기만을
기다리고 있었다.

만난 음식 바리 바리 만들어서
나경이, 예준이, 재승이와
함께 며느리가 왔다.

다시 나가더니 한참 만에
친정엄마를
모시고 왔다.

오랜만에 만난 안사돈
너무 반가웠다.

오래전 희망사를 같이 다녔을 때
다른 신도들이 우리를
늘 자매지간 인줄 알았다며
진짜 사돈이냐고 물었다.

저녁엔 편을 짜서
놀이도 하고
재미나게 지냈다.

마음 한구석엔
애련한 마음이
떠날 줄 모르지만

이놈의 코로나 때문에
병원에 가 볼 수도 없다.

적막 보름

이모가 아귀 한 마리를
들고 왔다.

마침 무가 한 개 있어서
탕을 끓였더니
맛이 좋았다.

옛날엔 음력 정월보름이면
달집을 짓고
난리법석이었는데

지금은 적막 보름이다.

미장원 수필집

오랜만에 미장원에 가서
커트와 염색을 했다.

완전 딴 얼굴이다.

미장원에서
'달맞이꽃 울 엄마'
수필집을 빌려왔다.

어린 시절
언양에서 자란
내용을 보고
더욱 친근감이 들었다.

넉 다운

올케 팀과 함께
운동 갔다가
넉 다운 돼서

하루 종일
가만히
쉬고 있다가

오늘부로
전영희 팀에
합류하기로 했다하니

모두 한바탕
웃음이 터졌다.

무리해서 몸이
말이 아니었는데

오늘은
다른 팀과 어울려
쑥도 뜯고
세월아 네월아 하고
걸어가니

운동 효과는
못해도
재미는 있었다.

만우절

오늘은
만우절이다.

예전 같으면
친구들과
거짓말도 하고
그랬었는데

요즘은
세월이 많이
바뀌었다.

예준이의 시험

예준이가
시험 3과목
100점을 찍어 보냈다.

기분 좋다.

하루 종일 비가
주룩 주룩 내린다.

예준이 덕분에
조금은
마음의 위로를 받는다.

고마워

재승이의 시험

재승이
전화가 왔다.

시험 100점 받았다고
식혜 먹고 싶단다.

내일은
식혜 만들어야지.

기분이 좋다.

모야 엄마

엄나무잎을
한 웅큼 얻어서 나오다가

오랜만에
모야 엄마를 만나서
반갑다고 호들갑을 떨었다.

송월타올의
안부도 묻고
전화번호도 물어서
집에 와서 전화를 했다.

몇십 년 만에
이사 가곤 처음 통화다.
음성이라도 들으니 반가웠다.

제 피 잎

이모가
제피 잎을
한 뭉치 따와서
던져주고는 갔다.

다듬느라고
혼 줄이 났다.

날 씨

날씨가 너무 덥다.
집콕 한 지가
며칠 지났다.

오후 3시
조금 넘었는데

번개가
칼처럼
땅으로 꽂히고

천둥은
먹구름 속에서
또 그렇게 울고 있다.

무섭다.

두동면 하늘

초락당
갔다 오는 길에
두동으로 달렸다.

은근히
기분이 좋다.

산허리에
걸터앉은
뭉게구름도 보고

푸른 산천도
눈요기 하는데
그저 그만이다.

드라이브

큰 올케, 유나 올케, 구해 부부, 나
다섯 명이서
멀리 드라이브를 갔다.

염소불고기를
맛있게 먹었다.

경관도 좋고
기분도 좋았다.

단풍들면
또 오자고 했다.

친구 부자

몇 주 만에 활력체조를
즐길 수 있었다.

오랫동안 못 보던
얼굴들도 볼 수 있어서
반가웠다.

수업 마치고 오는 길에
예삐 집에 들러서
친구들과 함께
맛 좋은 음식 실컷 먹고
재밌게 놀다 왔다.

친구들이 많아서 너무 좋다.
나는 친구 부자다.

화투놀이

화투놀이는

이기거나
지거나

아무소용
없지만

그래도
이기면

재미가 있다.

호 출 전 화

오늘은 택견 하는 날이다
8시에 우체국 앞까지 가야한다.

친구들과 만나서
복지관까지 쉬엄쉬엄 가다가

정자 의자에 앉아서
도란도란 얘기도 하면서
복지관에 갔다.

운동 끝나고
친구들이랑 걸어서 내려오다
깨끗한 자갈밭에 둘러앉아
말분이가 가져온 삶은 고구마를
먹고 쉬고 있는데

호출 전화가 왔다.

구시골 아지매가
도토리묵과 고추전을 구워서
복신 친구 집에 가져왔다고
빨리 오란다.

너무 고마워서
택시타고 친구 집으로
바로 갔다.

맛있게 먹고
놀고 있는데

또 호출전화가 왔다.

태훈이가 엄마 태워서
오고 있다고
초락당 가자고 한다.

더 놀았으면 좋겠는데
예삐집에서 나와 봉계로 향했다.

초락당에서 침 맞고
태훈이가 경주로 향했다.

뮬리라는 식물의 군락지였다.
나는 처음 본 신기한 식물이었다.

사진도 여러 번 찍고
또 국화과에 속하는
꽃 단지가 있는 곳까지 들러서
구경 잘 하고 왔다.

천년을 누렸던 신라도
때가 되니 망하는구나.

천년사직이 남가일몽이라나.

대통령 표창장

아들이 서울 가서
대통령 표창장을 타서 왔다.

상품으로 손목시계도 있고
유리관 속에
아들 모양 인형도 서 있었다.

상장도 여러 개 많았다.
우리 아들
정말 훌륭하다.

시집

'한국인이 가장 좋아하는 명시 100선'을
빌려 온 찻집에 가서
대추차도 마시고
빌려온 시집도 돌려주고 왔다.

며칠 전에
시집도
한권 구입했다.

젊은 시절
많이
읽고 외웠던
시들을 읽으니

새삼 기분이 좋다.

동갑친구

동갑친구
여섯 명이 모여서 화투놀이 하면서

한바탕
웃을 일이 많다.

점심은
내가 사겠다고 하니

복선 친구
떡국 끓일 준비가 되어 있다고 만류했다.

내 생일

실은
오늘이 내 생일이다.

생일파티는
이미 설에 모였을 때 했었다.

그런데
며느리가
온다고 연락이 왔다.

아범이
맨날 먹던 것 말고
새로운 음식을
맛보여 드리라고 했단다.

오후에
이모가 옷가게 오라고
전화 와서 갔더니
겉옷과 티 하나 사 주었다.

너무 무리했나 싶다.

저녁엔
나경이가
할머니 생일 축하 한다고
문자가 왔다.

이래저래 오늘은

즐거운 날이다.

동갑내기 6인방

오전엔 각자도생
오후엔 동갑내기 6인방이 모인다.

화투놀이를
즐기며 재밌게 지낸다.

모두가
나이 들어 실수 연발이다.

바보들의 행진이라며
6인방은 배꼽잡고 웃는다.

생전처음 들어본
코로나가 무엇인고.

어느 날
분이친구가 코로나를 업고 왔다.

6인방 다 함께
보건소에 가서 검사하니
6인방 모두 코로나 확진이란다.

분이친구는 "미안해, 미안해. 어~엉"
"괜찮아, 괜찮아, 울지마. 어차피 다 걸릴걸."

이웃에
친구가 있어 얼마나 좋은데
보약 같은 친구 노래가 생각난다.

비록
실수 연발하는
바보들의 행진이지만

고맙고 즐거워

4급 서기관

정아 손위 동서가
4급 공무원으로
진급했단다.

성품도 너무 착하고
머리고 좋고

남자도 어려운 일인데
대단하다.

언제 얼굴 한번 봤으면
좋겠다.

운동

날씨가 너무 추워
밖에 나갈
엄두가 나지 않아

가만 누워 있었더니
유나올케
전화 와서 나갔더니

바람기 없는 곳으로
인도해서
한 바퀴 잘 걷고 왔다.

올케가 가까이 살아서
너무 좋다.
유나 올케야 고마워.

노동

오늘은
쌀 못 먹을 거
골라내는 일을 했다.

몇 시간을
하고 나서야
골라내는 일을 끝마쳤다.

속이
시원하다.

나경이 생일

내일은 나경이
생일이다.

백조탕 손님들에게
떡 보시 하려고

시장 떡 방앗간
떡 2되 주문했다.

허 탕

12월 17일 수요일

표고버섯 좀 사올까
생각하고 시장에 갔더니

단골 표고집이 결석이었다.

국화빵이나 한 봉지 사올까
생각하고 갔더니

국화빵집도 이미 끝내고 없었다.

결국 요플레 한 줄만
사서 왔다.

참새 잡이

초가지붕 이엉
참새 잡이

오빠들

하얀 박이
익어가는 가을

희디 흰
박꽃

표창장 받은 아들

㈜평광금속 대표이사 이상화

귀하는 경영혁신과 기술개발에
힘써 왔을 뿐 아니라 융합회원 상호간의
경영기술 정보교류 활동을 통하여
지역경제 활성화에 크게 공헌하였으므로
이에 표창 패를 드립니다.

2020년 12월 9일 울산광역시장 송철호

내 아들이
이런 큰 상을 받으니

너무 대견스럽고 흐뭇하다.

할머니의 식혜

손자 이예준

양도 많고 맛도 좋은
할머니가 직접
만들어 주신
식혜

힘은 많이 드셨을 텐데
손주를 위해
만들어 주신
식혜

어쨌거나 많았던 것은
양이 아니라
할머니의
사랑

존경하는 어머니께

가족 일동

한결같은 사랑으로
우리를 꽃 피워주시고
언제나 가족을 생각하시며
늘 빛나는 등대가 되어주신 어머니
신숙재 여사님. 감사합니다.

어머니의 찐친이신
김복선님, 노원조님, 우복자님, 이말분님, 최분조님

항상 건강하시고
매일 매일 웃음이 넘치는
행복한 날만 가득하시길 바랍니다.

존경하고 사랑합니다.